LAURENT DE BRUNHOFF

BABAR

REIST NACH
AMERIKA

DIOGENES

Titel der Originalvorlagen:
›Babar à New York‹ und ›Babar en Amérique‹
Die Erstausgabe erschien in einem Band
in englischer Sprache bei Random House, New York.
Die deutsche Erstausgabe erschien
1982 im Diogenes Verlag.
Lizenzausgabe mit freundlicher Genehmigung
von Random House, New York
Copyright © 1965 by Random House, New York
Die vorliegende Übersetzung besorgte
Leslie Giger.
Das Nachwort hat Laurent de Brunhoff
eigens für die Neuausgaben
im Diogenes Verlag geschrieben.

In diesem Flugzeug, das soeben Paris überfliegt, sitzt Babar, der König der Elefanten. Er ist unterwegs in die Vereinigten Staaten. Der amerikanische Präsident hat ihn nach Washington eingeladen, und Babar will die Gelegenheit benutzen, um eine große Reise zu machen. Königin Celeste und die Kinder werden später nachkommen und Babar in Kalifornien treffen; so ist es abgemacht. Denn kaum hatte der kleine Alexander von Babars Reiseplänen gehört, hatte er ganz aufgeregt ausgerufen: »Ich möchte auch nach Amerika fahren!« Und gutgelaunt hatte Babar erwidert: »Na ja, warum nicht! Wir treffen uns also alle in San Francisco.«

Einige Stunden später befindet sich Babars Flugzeug bereits auf der andern Seite des Atlantischen Ozeans. Babar hat inzwischen gegessen, einen Roman gelesen, die Wolken betrachtet und vor allem geschlafen. Die Zeit ist ihm nicht lang geworden.

Jetzt gibt eine Stewardeß durchs Mikrophon bekannt: »Meine Damen und Herren, wir landen in Washington. Bitte schnallen Sie sich an und stellen Sie das Rauchen ein.«

Der Flughafen ist sehr modern. Riesige Busse, die innen so komfortabel wie Wohnzimmer sind, holen die Passagiere auf der Piste ab. Babar wird erwartet. Es wimmelt von Menschen.

Umringt von Reportern und Fotografen, sagt Babar einige Worte auf englisch, aber mit einem fürchterlichen Akzent: »Ich bin sehr glücklich, Ihr großartiges Land besuchen zu dürfen; das Land von Washington und Mark Twain, das Land der Cowboys und der Astronauten.«

Dann muß er Fragen beantworten: »Warum tragen Sie einen grünen Anzug?« – »Grün ist meine Lieblingsfarbe«, antwortet Babar. »Ist Ihre Krone aus Gold?« – »Ja, natürlich!«

Noch am selben Abend speist Babar mit dem Präsidenten im Weißen Haus.

Babar wird zu einer Sehenswürdigkeit geführt: zum Lincoln Memorial.

Dann zu einer zweiten: zum Jefferson Memorial.

Und zu einer dritten: zum Kapitol. Es ist furchtbar anstrengend ...

8

Babar besucht auch die Museen der Hauptstadt. Nach wenigen Tagen hat er sie schon alle gesehen. Vor einem der Museen steht eine riesige Rakete, für die sich Babar sehr interessiert.

»Haben die Elefanten auch solche Raketen?« fragen ihn seine Begleiter. »Aber natürlich«, antwortet er, »und es ist durchaus möglich, daß es ein Elefant ist, der als erster Raumfahrer den Mars betreten wird.«

Der offizielle Teil der Reise ist beendet. Babar ist dabei, Washington zu verlassen. Er packt seine Krone in einen Koffer und setzt dafür seinen Hut auf.

Auf dem Weg zum Flugzeug, das ihn nach New York bringen soll, hüpft er vor Freude, denn diese Stadt wollte er schon immer einmal kennenlernen.

Sobald er in New York angekommen ist, macht er einen Spaziergang auf der Park Avenue. Aber plötzlich gerät ihm ein Staubkorn ins Auge, und er muß weinen. »Das passiert einem häufig in New York«, sagen die Leute, die vorbeigehen.

Nachdem Babar im Hilton eine geruhsame Nacht verbracht hat, sitzt er gemütlich am Fenster seines Zimmers und ißt ein schmackhaftes Frühstück: Orangensaft, Toast, Tee und Getreideflocken.

Aber er kann es kaum erwarten auszugehen. Schnell zieht er sich an und vergißt auch nicht, einen Stadtplan in seine Jackentasche zu stecken.

Es gibt sechs Fahrstühle hier; aber sogar das ist noch beinahe zu wenig für dieses Riesenhotel. Im Fahrstuhl schluckt Babar, wie man ihm geraten hat, mehrere Male, um keine Ohrenschmerzen zu bekommen. Denn das vierzigste Stockwerk liegt wirklich sehr hoch oben.

Im Bus gibt es weder einen Schaffner noch Fahrkarten. Man muß ein 15-Cent-Stück in den Automaten werfen, der neben dem Fahrer steht. Und der Fahrer ist nicht immer so besonders freundlich, vor allem dann nicht, wenn er zu viele Dinge auf einmal tun muß: Während er fährt, sollte er nun Babar auch noch Geld herausgeben!

Babar steigt beim Central Park aus. Dort setzt er sich auf eine Bank. Die Eichhörnchen, die sehr neugierig sind, kommen herbei, um ihn aus der Nähe betrachten zu können, und klettern sogar auf seinen Rüssel.

Dann geht Babar in den Straßen von New York spazieren. Die
Fußgänger scheinen alle in Eile zu sein und die Autofahrer ebenso:

Sobald auf einer Kreuzung die Ampeln auf Grün stehen, beginnt
eine wilde Huperei. Keiner will warten in New York.

Hungrig geworden vom vielen Gehen, betritt Babar einen Drugstore. Er weiß nicht, was er bestellen soll: Hamburger oder Cheeseburger? Auch bei den Getränken kennt er sich nicht aus: Coca-Cola oder Pepsi-Cola? V-8, 7up oder Ginger Ale?

»Ich möchte von allem versuchen«, sagt er zum Kellner, der ihn belustigt anschaut. Als Babar endlich bei der Nachspeise angelangt ist, entschließt er sich für eine Apfeltorte, und obendrein ißt er auch noch ein Bananeneis mit Schlagsahne. Und dann ... wird ihm plötzlich furchtbar übel. Er hat viel zuviel gegessen.

Aber zum Glück braucht Babar nur ein paar Schritte im selben Laden weiterzugehen, um sich ein Medikament kaufen zu können.

»Diese Drugstores sind sehr praktisch«, denkt Babar, »so etwas fehlt noch bei uns im Elefantenland. Ich werde mich darum kümmern, sobald ich wieder zurück in Celestenstadt bin.«

Babar setzt seinen Spaziergang fort und sucht ein Juweliergeschäft, dessen Adresse man ihm gegeben hat. Aber da ist kein Juwelier mehr, das Geschäft ist verschwunden. Da, wo es gestanden hat, wird ein neuer Wolkenkratzer mit fünfzig Stockwerken gebaut. Babar schaut durch die Fenster des Bauzauns zu.

Während Babar die Baustelle betrachtet, fällt ihm plötzlich etwas ein: »Ich weiß gar nicht mehr, wo ich mich mit meinen Freunden Bob und Helen verabredet habe.«

Also geht er in eine Telefonzelle und ruft sie an.

»Wir holen dich um sieben Uhr im Hotel ab«, antwortet ihm Helen. Am Abend gehen sie in ein japanisches Restaurant essen. Babar ist begeistert und zieht wie alle andern seine Schuhe aus.

Das Abendessen verläuft sehr fröhlich. Babar erzählt seinen Freunden, was er in den Antiquitätengeschäften alles gekauft hat. Und als Bob ihn fragt, ob er Jazz mag, antwortet er: »O ja, sehr sogar. Ich spiele auch selbst Trompete.« Also beschließen sie zu vorgerückter Stunde, noch in einen Jazzclub zu gehen und sich den berühmten Theodorus Priest anzuhören.

Babar verbringt einige Tage bei seinen Freunden auf dem Land.
Auch ihre Kinder Peter, Tommy und Billy und ihr Hund Sady sind
da. Babar lernt bei ihnen Baseball spielen und amüsiert sich ganz
prächtig.

»Bist du aber stark! Wir sind völlig am Ende!« sagen die Jungen. Und der kleine Billy meint etwas verärgert: »Du brauchst ja nicht mal einen Handschuh, um den Ball zu fangen. Das ist doch kein faires Spiel!«

Helen fragt Babar, ob er sie in den Supermarkt begleiten möchte. »Aber gerne«, antwortet er. »Und ich werde den Einkaufswagen schieben.« Aber der König der Elefanten hat Mühe, Helen zu folgen, so schnell schlängelt sie sich zwischen den Regalen durch.

Babar hat Popcorn für Peter, Tommy und Billy mitgebracht.

Jetzt ruft sie: »Hierher, Babar! Ich bin hier, bei den Corn Flakes!«
Babar denkt nicht daran, daß er sehr dick ist, und stößt eine Flasche
Essig um. Die Flasche zerbricht. Sofort entsteht ein großes Ge-
dränge von Einkaufswagen. Babar ist untröstlich, aber die Sache ist
nur halb so schlimm.

Am Abend schauen
sie sich alle ein Base-
ballspiel am Fernsehen
an.

Babar hat New York verlassen und tritt seine Reise durch die Vereinigten Staaten an. Er will, streckenweise mit dem Flugzeug und streckenweise mit dem Auto, von einer Stadt zur andern fahren. Zuerst besucht er Boston und die Harvard Universität, die etwas außerhalb der Stadt liegt. Zwei Studenten führen ihn durch das Universitätsgelände.

Alle Professoren haben Robe und Doktorhut angelegt, um Babar den Ehrendoktortitel und die Schärpe der Universität zu verleihen. Das ist eine große Ehre für Babar.

Dann nimmt Babar für eine Weile in dem Büro Platz, wo die Studenten ihre eigene Zeitung machen. Er verspricht ihnen, Fotos vom Elefantenland zu schicken.

In Detroit besucht Babar eine Automobilfabrik. Endlich erfährt er, wie Autos hergestellt werden. Zuerst ist da nur ein vor Hitze rotglühender Stahlblock. Man schneidet ihn in Stücke, und die einzelnen Stücke werden gewalzt und geformt.

Am Schluß wird alles auf dem Montageband, das wie ein großes Fließband funktioniert, zusammengesetzt.

Plötzlich hört Babar jemanden schreien: »Aufgepaßt auf Ihren Hut, Herr Elefant!« Aber zu spät! Der Hut ist weg.

Als nächstes macht Babar in Chicago Station. Die riesige Stadt

er alten U-Bahn am Fuß der Wolkenkratzer beeindruckt ihn sehr.

Am Sonntag nehmen ein paar Freunde Babar zum Angeln an den Michigansee mit. Da wimmelt es von Menschen. Alle haben Angelruten, Picknickkörbe, Gartengrills und sogar Fernsehapparate dabei. Babar setzt sich nieder, um zu angeln. Nun muß er lange Zeit geduldig warten.

Es sieht beinahe so aus, als gäbe es hier keine Fische. Noch immer nichts ...

Hoppla! Da hängt einer am Angelhaken! Aber für ein richtiges Mittagessen ist er doch ein bißchen klein. »Du wirst nicht hungern müssen, Babar«, sagt seine Freundin Lena, »ich habe ein Steak mitgebracht.«

Am Ufer dieses Sees ißt tatsächlich kein Mensch Fisch! Überall sieht man Grillroste mit am Spieß gebratenem Fleisch und mit Koteletts stehen.

Babar grilliert das Steak wie ein gewiegter Küchenchef. Nach dem Essen spielt er mit Lenas kleinem Sohn Adrian.

Aber jetzt ist es für Babar Zeit, sich auf die große Reise in den Westen der USA zu machen. Um die Rocky Mountains zu durchqueren, nimmt er den Zug.

Während er die wunderschöne Landschaft betrachtet, ruht er sich etwas aus und denkt an Celeste und die Kinder, die er bald in San Francisco wiedersehen wird. Er hat ihnen so vieles zu erzählen und freut sich jetzt schon darauf.

Babar trifft im Hotel in San Francisco ein.

»Da ist er!« schreien Pom, Flora, Alexander und Kusin Arthur, die sich hinter der Treppe versteckt hatten.

»Hallo Papa!«

»Hallo Babar!«

Der Hoteldirektor begrüßt Babar, und die Kinder führen ihn zu seinem Zimmer, wo Celeste ihn erwartet. Babar küßt sie zärtlich. Dann klettern Flora und Alexander auf Babars Schoß und bestürmen ihn: »Erzähl uns von deiner Reise!«

Babar erzählt ihnen, was er seit seiner Ankunft in Washington alles gesehen und erlebt hat.

Dann gehen alle zusammen hinaus, um die Golden-Gate-Brücke zu sehen.

San Francisco ist eine schöne, auf Hügeln gelegene Stadt. Ein besonderes Vergnügen für eine Elefantenfamilie sind die Straßenbahnen, die auf beiden Seiten offen sind.

Oben auf einem Hügel hat der kleine Alexander einen dummen Einfall. »Wir könnten eigentlich unsere Rollschuhe anziehen«, schlägt er vor. »Toll! Prima!« schreien Arthur und Pom.

Genau in diesem Moment tauchen Babar, Celeste und Flora auf, welche die drei gesucht haben, und sehen sie auf ihren Rollschuhen den Abhang herunterrasen. Aber ein Polizist hält sie auf und sagt zu ihnen: »Tut das nie wieder!«

Nach dem Mittagessen geht Babar an den Fischerhafen, um zu zeichnen. Pom, der ihn begleitet, fängt plötzlich zu weinen an. »Ich habe Magenschmerzen«, stöhnt er. Da packt Babar schnell seine Pinsel ein.

Babar trägt den kleinen Elefanten auf der Schulter ins Hotel zurück. Pom weint noch immer. Große Tränen kullern über seinen Rüssel.

Celeste ruft einen Arzt. Dieser fühlt dem Patienten den Puls und sagt dann: »Kleiner Mann, du hast ganz einfach zuviel Langusten gegessen.«

Pom muß Medikamente schlucken, und die schmecken nicht besonders gut. Er murrt ein bißchen, aber schließlich will er ja gesund werden. Und es gefällt ihm auch ganz gut, im Bett zu bleiben und sich von seiner Mutter verwöhnen zu lassen.

Sobald es Pom wieder besser geht, machen sie einen Ausflug entlang der Pazifik-Küste. Sie halten an, um durchs Fernglas Seehunde und Vögel zu beobachten. Die Seehunde geben ein ganz eigenartiges Bellen von sich.

»Ich möchte einen mit nach Hause nehmen«, sagt Pom.

»Er wäre bloß unglücklich«, widerspricht Arthur, »Seehunde müssen im Wasser leben.«

»Zu schade!« meint Pom. »Aber wie wär's mit einem Pelikan?«

Babar und seine Familie machen Station in dem reizenden kleinen Städtchen Carmel und mieten dort ein Häuschen ganz in der Nähe des Meeres. Babar und Arthur haben viel Spaß beim Wellenreiten.

Die Kinder lieben es, sich in die Brandung zu stürzen oder Algen und Muscheln zu sammeln. Nur Flora zieht es vor, im Garten der Spanischen Kirche spazierenzugehen, der voller Blumen und winziger Kolibris ist.

Familie Babar hat Carmel verlassen und fährt mit dem Auto in Richtung Los Angeles. Dabei durchqueren sie einen wundervollen Wald. Hier sind die Bäume so hoch wie Wolkenkratzer, und manchmal kann man sogar durch sie hindurchfahren. Flora ängstigt sich ein wenig: »Wenn nun der Baum umfiele, gerade wenn wir unten durchfahren? Vielleicht hält er nicht so gut . . .«

In der Wüste im Tal des Todes brennt die Sonne heiß. Celeste hat
ihren Sonnenschirm aufgespannt. Arthur will die ganze Familie
hinter einer Salzwasserlache fotografieren. Er stellt seinen Fotoap-
parat mit dem Selbstauslöser auf und läuft dann schnell zurück und
stellt sich neben Flora, damit er auch aufs Bild kommt. Hoffentlich
hat es geklappt!

»Gräßliche Hitze hier!« klagt Babar. »Gräßliche Hitze! Also so
eine Hitze! Ich verdurste! Laßt uns schnell weiterfahren.«

Oh! Los Angeles! Diese Stadt ist so groß, daß man nicht weiß,
wo sie anfängt und aufhört. Arthur traut seinen Augen kaum.
»So viele Autos auf einmal habe ich noch nie gesehen«, ruft er aus.

Und Babar sagt ganz stolz: »Alle haben behauptet, wir würden uns in diesem Durcheinander von Autobahnen verirren. Nun, mir scheint, daß ich mich hier prima zurechtfinde!«

Der berühmte Schauspieler Steve MacGregor hat Babar und Celeste erwartet. Er gibt für sie eine Party in seiner Villa in Hollywood. Pom und Alexander haben riesengroße Lust, in den Swimming-pool zu springen, und Flora trinkt all die Fruchtsäfte, die ihr angeboten werden.

Babar hat den Kindern versprochen, mit ihnen nach Disneyland zu fahren.

Aber das ist sehr weit. Um dorthin zu kommen, muß man erst ganze Wälder von Telegrafenmasten und ganze Heerscharen von Ölpumpen durchqueren. Lustig sehen sie aus, diese Pumpen, die sich pausenlos heben und senken! Ein bißchen wie riesige Vögel, die Körner picken.

Endlich sind sie in Disneyland! Eine ganze Stadt für Kinder!
Pom, Flora und Alexander haben Herzklopfen. Sie laufen die
Hauptstraße entlang auf das Schloß von Dornröschen zu.

Sie drängeln sich in die Schlitten des Matterhorns, und dann
kreiseln sie auf dem Teetassen-Karussell herum, bis sich alles in
ihren Köpfen dreht. Zum Schluß machen sie noch eine Schiffahrt
auf einem alten Mississippidampfer.

Es gibt so viele Dinge hier, daß ein einziger Tag nicht ausreicht, um alles zu sehen. Und schon sagt Celeste: »Jetzt ist es aber Zeit, nach Hause zu gehen; ich bin todmüde, und ich glaube, ihr seid es auch.«

Aber Alexander ist nicht einverstanden: »Ach, Mama, ich wäre so gerne noch mit dem Unterseeboot gefahren!« – »Ein andermal, Alexander, ein andermal.«

Familie Babar ist bei ihren Freunden Charles und Liza eingeladen. Sie haben einen tiefblauen Swimming-pool im Garten. Pom, Flora und Alexander tummeln sich den ganzen Tag darin. Sie schwimmen wie die Fische.

»Wenn du auch hineinspringen willst, Babar«, meint Liza scherzend, »müssen wir zuerst Wasser ablassen; sonst fließt es über, und der ganze Garten wird überschwemmt.«

Am Abend gehen sie manchmal alle zusammen in ein Freilichtkino und sehen sich einen Film an. Dabei bleibt man im Auto sitzen; man braucht sich nur hinter den anderen Autos anzustellen und die Türen geschlossen zu halten.

Bei jedem Auto wird ein Lautsprecher an der Scheibe befestigt, damit man den Ton hört. Die Kinder finden diese Abende herrlich, vor allem weil es ein Picknick im Dunkeln gibt.

Babar möchte die Reise fortsetzen, aber Celeste will mit den Kindern erst noch etwas ausspannen, denn es gibt wunderschöne Strände in Los Angeles.

Babar will in New York wieder mit ihnen zusammentreffen und fliegt mit Arthur im Helikopter weiter; natürlich jeder in seinem eigenen, denn für einen einzigen Helikopter wären sie zu schwer. Tief unter ihnen breitet sich die Stadt wie ein riesiger Teppich aus.

Sie fliegen über die Wüste von Arizona. Da bemerkt Babar plötzlich, daß er kein Benzin mehr hat. Er landet, so gut es eben geht, zwischen den Kakteen. Arthur geht neben ihm nieder und schreit, während er auf Babar zuläuft: »Was ist passiert?«

Babar hat sich auf einen Stein gesetzt und wartet mit der Jacke über dem Kopf, um keinen Sonnenbrand zu bekommen, während Arthur weiterfliegt, um irgendwo Benzin aufzutreiben. Aber, welch ein Pech, auch sein Benzintank ist leer, ehe er die Tankstelle am Rande der Wüste erreicht hat. »Das hat mir gerade noch gefehlt!« schimpft er. »Bei dieser Hitze zwei Kilometer zu Fuß gehen und obendrein noch die vollen Benzinkanister schleppen, das macht wirklich keinen Spaß!«

Nun haben die beiden den Grand Canyon erreicht. Die anderen Touristen reiten auf Maultieren in die Schlucht hinab, um den Fluß zu sehen, der sich ganz unten durch den Fels frißt.

Aber die Elefanten befürchten, die armen Maultiere könnten unter ihrem Gewicht zusammenbrechen, und gehen lieber zu Fuß. Babar ist vorausschauend und ermahnt Arthur, unterwegs einen Halt zu machen. »Denk daran, der Rückweg wird anstrengender sein!« sagt er.

Babar und Arthur besuchen die Indianer in ihrem Dorf. Gespannt hören sie zu, wie der alte Häuptling Sitting Bull die Legende vom Weißen Büffel und Jagdgeschichten erzählt. Dann führt Arthur einen Kriegstanz auf, und Babar schlägt die Trommel dazu.

Bei Sonnenuntergang bewundern sie gemeinsam die Landschaft, die in allen Farben erglüht. »Also ich finde, dieser berühmte Canyon ist einfach zu groß«, denkt Arthur bei sich.

Nach dem Grand Canyon fahren Babar und Arthur durch Texas und besuchen eine Ranch.

»Na so was, diese Stiere haben ja gar keine Hörner!« sagt Arthur. »Sie haben zwar keine Hörner, aber es sind die schönsten Stiere weit und breit«, antwortet der Cowboy. »Ich werde euch den größten von allen zeigen, er heißt Max. Wenn ich ihm den Rücken kraule, bewegt er den Kopf wie ein gutmütiger Hund.«

New Orleans ist ihre letzte Station, bevor sie nach New York zurückkehren. Unsere zwei Reisenden lassen sich in einer Kutsche durch das alte französische Viertel der Stadt fahren.

»Diese kleinen Balkone sind wirklich entzückend«, findet Babar. »Komm, wir gehen etwas Leckeres zu Mittag essen; ich glaube, die Restaurants hier sind ausgezeichnet.«

Später nehmen sie das Flugzeug nach New York. Celeste, Pom, Flora und Alexander sind bestimmt schon vor ihnen dort angekommen.

Im Herbst ist in Amerika die Baseballsaison zu Ende, und jedermann beginnt, Football zu spielen. Babar und Arthur haben Celeste und die Kinder in New York getroffen. Aber anstatt mit der Familie spazierenzugehen, besuchen sie mit Bob und Helen das berühmte Footballspiel zwischen den Universitätsmannschaften

von Harvard und von Yale. Auch Peter, Tommy und Billy sind mit dabei.

»Vorwärts, Harvard! Zeigt's ihnen! Los!« schreien sie.

Aber in der Halbzeit führt Yale. Musikkapellen marschieren übers Spielfeld.

Als das Spiel zu Ende ist, lernt Arthur Football spielen.

Das Spiel ähnelt ein wenig dem Rugby, aber die Regeln sind anders.

Man trägt dabei einen Helm, dicke Schulterpolster und einen Knieschutz.

Arthur schlägt sich wacker. Er ist schwer und deshalb fast nicht aufzuhalten. Aber manchmal erwischen ihn seine Gegner doch, und er fällt längelang hin.

»Na ja«, denkt der junge Elefant, »da nützt mir mein ganzes Gewicht nicht mehr viel; wenn sich eine ganze Mannschaft auf mich stürzt, kann ich nichts machen.«

Der vierte Donnerstag im November ist ein großer Festtag in Amerika: Thanksgiving.

Familie Babar ist zum Abendessen bei ihren Freunden Bob und Helen eingeladen. Der König der Elefanten zerlegt eigenhändig den Truthahn.

Arthur überlegt sich, ob er wohl wirklich die Preiselbeeren und das Apfelkompott auf denselben Teller geben soll.

Am folgenden Morgen geht Celeste in aller Eile die letzten Geschenke einkaufen. Als sie an der Hutabteilung vorbeigeht, kann sie der Versuchung nicht widerstehen, sich einen neuen Hut zu kaufen.

Dann geht sie schnell ins Hotel zurück, denn die Koffer sind noch nicht gepackt. Ob wohl alles darin Platz finden wird?

Endlich ist alles bereit. Es ist Zeit, auf Wiedersehen zu sagen.

Babar, Celeste, Arthur, Pom, Flora und Alexander kehren ins Elefantenland zurück.

Sie sind traurig, daß sie sich von ihren Freunden trennen müssen, hoffen aber, sie bald einmal wiederzusehen. Vom Deck ihres Schiffes aus schauen sie auf die Wolkenkratzer von New York, die sich immer weiter von ihnen entfernen, und denken zurück an ihre wundervolle Reise.

Laurent de Brunhoff

Mein Vater

Jean de Brunhoff wurde im Dezember 1899 geboren.

Sein Vater Maurice, ein Franzose baltisch-schwedischer Herkunft, war Verleger von Kunstzeitschriften. Er gab insbesondere die sehr schöne Theaterzeitschrift ›Comoedia Illustré‹ und die Programme für Sergej Diaghilews ›Ballets Russes‹ heraus. Jeans Brüder wurden ebenfalls Verleger: Der ältere, Jacques, trat die Nachfolge von Maurice de Brunhoff an; Michel war viele Jahre lang Chefredakteur von ›Vogue‹ in Paris, und man erinnert sich seiner immer noch als eines Menschen, der Verständnis für die Künstler hatte und sie unterstützte. Der Schwager von Jean, Lucien Vogel, gab Modezeitschriften heraus (›La Gazette du Bon Ton‹, dann ›Le Jardin des Modes‹) und schuf die erste aktuelle Illustrierte, die Zeitschrift ›VU‹.

Mein Vater, viel jünger als seine Brüder, war der Künstler der Familie. Ich glaube nicht, daß er sich je etwas anderes vorgestellt hatte, als Maler zu werden. Obwohl er mit einem der Meister des Fauvismus, mit Othon Friesz, zusammengearbeitet hatte, beteiligte er sich nur am Rande an den avantgardistischen Strömungen – Kubismus, Expressionismus, Surrealismus. Er fühlte sich vom »Spektakulären« nicht angezogen.

Jean de Brunhoff hatte meine Mutter, die Arzttochter Cécile Sabouraud, 1924 geheiratet. Sie war eigentlich die Urheberin von Babar. Es machte ihr Spaß, meinem um ein Jahr jüngeren Bruder Mathieu und mir Geschichten zu erzählen. Und so erzählte sie uns eines Tages die Geschichte eines kleinen Elefanten, der vor einem Jäger die Flucht ergreift und in eine Stadt kommt. Dort kleidet er sich wie ein Mensch und fährt dann im Auto nach Hause zurück, wo er zum Elefantenkönig gekrönt wird. Diese Geschichte gefiel uns so gut, daß wir sie unserem Vater erzählten. Das brachte ihn auf den Gedanken, daraus ein illustriertes Buch für uns zu machen.

Aus dieser Anekdote sollte man aber keine voreiligen Schlüsse ziehen: Es ist nicht so, daß meine Mutter die Erfinderin der Geschichte und mein Vater lediglich der Illustrator war. Mein Vater hat alle Abenteuer von Babar ersonnen. Selbst im ersten Bilderbuch hat er zum Beispiel die Gestalt der alten Dame geschaffen, die die Geschichte des kleinen Elefanten um einen so originellen Aspekt bereichert. Natürlich hörte er sich an, was meine Mutter wie auch mein Bruder und ich sagten, aber er konfrontierte diese Äußerungen immer mit seinen eigenen Empfindungen.

Er war es, der auf den Namen Babar verfiel. Er erfand Namen mit einer wahren Lust. Neben Cornelius, Celeste und Zephir findet man Olur, Capoulosse, Hatchibombotar und viele andere.

Die Brüder und die Freunde meines Vaters waren begeistert und drängten ihn, das Bilderbuch zu veröffentlichen. Es erschien 1931 in den von Lucien Vogel geleiteten Editions du Jardin des Modes *(Die Geschichte von Babar)*. Der Erfolg stellte sich rasch ein. Ermutigt durch die gute Aufnahme, die das Buch fand, und da er das Erzählertalent in sich entdeckte, spann mein Vater die Abenteuer von Babar mit Begeisterung weiter. Im zweiten Bilderbuch geht Babar, nachdem er Celeste geheiratet hat, auf die Hochzeitsreise *(Babar auf Reisen)*. Im dritten Buch baut er die Elefantenstadt *(König Babar)*. Mit dieser Geschichte zeigt sich im Werk meines Vaters eine Entwicklung: Alle Elefanten ziehen nach Babars Vorbild Kleider an und halten sich aufrecht. Es geht ein wenig von der Poesie des »Urwalds« verloren zugunsten einer liebenswürdigen Satire auf die menschliche Gesellschaft.

Babar überschritt die Grenzen: 1933 schrieb A. A. Milne (der Schöpfer von Pu, dem Bären) das Vorwort zur englischen Ausgabe. Im gleichen Jahr wurde Babar in New York herausgegeben. Und Jean de Brunhoff bewies seine Vorliebe für das Märchenhafte und für die traditionellen Mythen mit dem Land des Affen Zephir, wo man einer kleinen Nixe begegnet und Ungeheuern, die alle in Steine verwandeln, denen es nicht gelingt, sie zum Lachen zu bringen *(Zephir macht Ferien)*. Ich habe eine Schwäche für dieses Buch wie auch für *ABC de Babar*, in dem die Illustrationen eine wunderbare Verfeinerung erfahren.

1934 wurde mein Bruder Thierry geboren. Also sollte auch Babar, wie Jean de Brunhoff, drei Kinder haben ... Aber nicht drei Knaben, sondern ein Mädchen namens Flora und ihre beiden Brüder Pom und Alexander. Mit *Familie Babar* entstand das nächste Bilderbuch.

Babar war eine berühmte Figur geworden. 1936 bat die Compagnie Générale Transatlantique Jean de Brunhoff, den Kinderspeisesaal des Passagierdampfers »Normandie« auszuschmücken. Für diese Dekoration holte sich mein Vater die Ideen von den Illustrationen auf dem Vorsatz seiner Bilderbücher: Auf einem grünen Hintergrund rannten, tanzten und spielten graue Elefäntchen. Die Elefanten waren aus Sperrholz ausgesägt, und lange Zeit hingen bei uns zu Hause ein paar davon an den Wänden.

Léon Chancerel, Direktor eines Kindertheaters, bat Jean de Brunhoff, mit ihm zusammen ein Stück zu schreiben. Auf diese Weise kam Babar auf die Bühne, wo er von einem Schauspieler dargestellt wurde, der einen großen Elefantenkopf aus Stoff trug und in einem grünen Anzug steckte, der ausgestopft war, um Babars Fülle vorzutäuschen.

Zu dieser Zeit verkauften die Editions du Jardin des Modes die Babar-Bilderbücher an die Librairie Hachette, die für deren Vertrieb besser organisiert war. In Amerika tat sich Robert K. Haas mit Bennett Cerf zusammen und brachte die Buchreihe in den Verlag Random House. In Europa interessierten sich nach England auch die skandinavischen Länder für Babar.

Da mein Vater eine anfällige Gesundheit hatte, hielt er sich monatelang in der Schweiz auf. Dort entstanden auch seine zwei letzten Bilderbücher: *Familie Babar* und *Babar und der Weihnachtsmann;* sie erschienen im Feuilletonteil der Sonntagsausgabe des › Daily Sketch ‹ in London. Mein Vater starb 1937.

Ich möchte dazu sagen, daß ich nie den Eindruck hatte, einen kranken Vater zu haben, außer während der letzten Monate seines Lebens. Die Kommentatoren gaben sich oft den fantastischsten Spekulationen hin. Es ging zum Beispiel das Gerücht um, er habe von seiner Familie getrennt gelebt und seinen Kindern aus der Schweiz die von ihm gezeichneten Bilderbücher geschickt. Das stimmt nicht. Wir waren immer zusammen. In den Wintermonaten in den Bergen, in den Sommermonaten auf dem Land und in der Zwischenzeit in Paris. Lächerlich waren auch die philosophischen Betrachtungen über die Fröhlichkeit des Künstlers, der seinen Tod nahen fühlt. In seiner Fröhlichkeit, in seinem humorvollen und zärtlichen Blick, den er auf Menschen und Dinge richtete, spiegelte sich seine Persönlichkeit wider. Es ist nicht nötig, dies mit einer Reaktion auf die Krankheit oder mit dem Wissen um das nahe Ende zu erklären.

Ich war zwölf Jahre alt, als mein Vater starb, und schon damals zeichnete ich gern. Seine zwei letzten, im › Daily Sketch ‹ schwarzweiß veröffentlichten Bilderbücher waren nicht fertig geworden. Die Farbgebung wurde unter der künstlerischen Leitung von Michel de Brunhoff beendet, und bei einigen Seiten fragte mein Onkel mich um Rat. Auf diese Weise wurde ich in die Welt von Babar eingeführt. Die beiden Bilderbücher wurden postum herausgegeben, dann schlummerte die Verlagswelt bis zum Jahr 1945.

Mit zwanzig Jahren wollte ich selbst Kunstmaler werden und arbeitete am Montparnasse, wo meine Malerei sich rasch in abstrakter Richtung entwickelte. Indes nahm bei mir der Gedanke Gestalt an, ein Babar-Bilderbuch zu schaffen, mich nicht mehr damit zu begnügen, kleine Elefanten auf Papierfetzen zu zeichnen, sondern eine neue Geschichte zu erfinden, den abrupt abgerissenen Faden der Erzählungen über den Elefantenkönig wieder aufzunehmen. Ich kannte sie, diese Welt von Babar, ich hatte in den sechs Jahren, da mein Vater sie erschuf, »darin gelebt«. Und überdies war ich ein Träumer wie er. So bemühte ich mich, seinen Stil getreulich nachzuahmen: 1946 wurde *Babar et ce Coquin d'Arthur* in Paris publiziert. Babar war neu geboren.

Heute habe ich das Alter weit überschritten, in dem mein Vater starb. Man kennt Babar in Deutschland und in Holland, in Spanien wie in Japan. Amerika hat ihn aufgenommen. Und als sich die Lebensweise änderte, trat Babar auch im Fernsehen auf, hörte man ihn auf Platten, sah man ihn als Plüschfigur; neben den großen Bilderbüchern erschienen billigere kleine Ausgaben, wodurch sich der Leserkreis vergrößerte.

Ich vergesse nicht, daß Babar von meinem Vater geschaffen worden ist, aber er ist auch mein Geschöpf geworden, mit dem ich zur Vogelinsel, in die Vereinigten Staaten oder auf einen unbekannten Planeten reise. Manchmal fliegt Babar mit einer Rakete davon, und sein Vetter, der junge Arthur, kann mit dem Motorrad umherfahren, aber Babars poetische Welt bleibt immer dieselbe: eine liberale Elefantengesellschaft, die in einer familiären und freundschaftlichen Atmosphäre lebt.

Selbstverständlich kam ich auch in Versuchung, Bilderbücher ohne Elefanten zu schaffen, etwa *Anatole et son Ane, Serafina la Girafe, Bonhomme, Le Cochon Cornu.* Diese Bücher setzen nicht eine ganze Tierwelt in Szene, sondern nur zwei oder drei Gestalten, wobei der Reiz in den psychologischen Beziehungen zwischen ihnen besteht.

Ich habe etwa zwanzig Babar-Bilderbücher verfaßt, und es macht mir immer noch Spaß, neue Geschichten zu schreiben und zu zeichnen. Darin besteht das Geheimnis eines Verfassers von Kinderbüchern: Er muß selbst Spaß daran haben, das Wirkliche mit dem Erträumten verschmelzen, so wie das Kind, das ohne zu überlegen vom Alltäglichen in den Traum hinüberwechselt, denn für das Kind *existiert* das Gesagte, so wie die Gegenstände und die Lebewesen seiner Umgebung existieren.

(Deutsch von Lislott Pfaff)

Ute Krause
im Diogenes Verlag

Nora und der Große Bär

An den langen Winterabenden, wenn draußen sich der Schnee türmt und die Leute aus dem Dorf um den Ofen sitzen und erzählen, lauscht Nora den Geschichten vom Großen Bären. Nora träumt davon, ihn zu finden. Den ganzen Sommer übt sie, bis sie mit verbundenen Augen ins Schwarze treffen kann, und eines Tages im Herbst ist es soweit: Nora darf mit auf die Jagd, auf die alljährliche Suche nach dem Großen Bären.

»Eine wundersame Geschichte – ein sehr liebenswertes Kinderbuch.« *Frankfurter Rundschau*

»Diese Geschichte hat den Charme eines Märchens aus der Alten Welt. Ute Krauses bestechende Illustrationen und ihr phantasievoller Blick sind faszinierend.« *Publishers Weekly, New York*

Auswahlliste Deutscher Jugendliteratur-Preis 1990
Auswahlliste Rattenfänger-Literatur-Preis 1990

Die Moffels

Am allerliebsten schlafen die Moffels den lieben langen Tag, nur nach Mitternacht, wenn die Menschen alle schlafen, sind die Moffels unterwegs, steigen über die Dächer, streifen durch die leeren Straßen, gehen beim Bäcker und in der Schule vorbei, landen im Kaufhaus und im Zoo, aber was sie suchen, finden sie nicht, einen Munschen, wie die Menschen bei den Moffels heißen, denn die schlafen ja nachts...

»Ein zauberhaft bebildertes Kinderbuch in Reimen.« *Münchner Merkur*

Posy Simmonds
Lulu und die fliegenden Babys
Aus dem Englischen von Erica Ruetz

Bloß wegen ihres kleinen Bruders Willy mußte Lulu mit ins Museum. Sie hatte aber gar keine Lust, den Dinosaurier oder die Bilder dort anzuschauen, sie hätte viel lieber draußen im Schnee gespielt. Also war sie sehr wütend, setzte sich im Museum ganz allein auf eine Bank und ließ einfach ihre Nase laufen. »Das tut man nicht«, sagte auf einmal jemand hinter ihr – und bevor Lulu so richtig antworten konnte, wurde sie hochgehoben und durch wunderschöne Bilder geflogen: In den Schnee, ans Meer zu einem Tiger und einem König...

»Ein wunderschönes Buch, in dem sich sehr viele Kinder wiedererkennen werden.« *Frankfurter Rundschau*

»Auf ungewöhnliche Art verknüpfen sich Wunder und Wirklichkeit in *Lulu und die fliegenden Babys*. Das liebenswert Kecke der Bildstreifenphasen und das großformatige Sichumschauen im Innern der Kunst ergänzen sich vorzüglich. Kinder und Erwachsene sollten sich das Vergnügen dieses Buches nicht entgehen lassen.« *Neue Zürcher Zeitung*

»Ein Kinderbuch mit britischem Witz, das vor allem den Sprösslingen die Angst nehmen soll, wenn sie von Eltern oder Verwandten gnadenlos zum Bildungsdrill in die ungeliebten Museen geschleppt werden.« *Die Weltwoche, Zürich*

Tomi Ungerer
im Diogenes Verlag

Bilderbücher für Kinder:

Das große Buch vom Schabernack
333 lustige Bilder von Tomi Ungerer mit frechen Versen von Janosch. Diogenes Hausbuch

Die drei Räuber
Aus dem Amerikanischen von Tilde Michels. Ein Diogenes Kinderbuch. Auch als kinder-detebe 25007 und als kinder-mini-detebe 79050

Crictor die gute Schlange
Deutsch von Hans Ulrik. Ein Diogenes Kinderbuch. Auch als kinder-detebe 25033

Der Mondmann
Deutsch von Elisabeth Schnack
Ein Diogenes Kinderbuch. Auch als kinder-detebe 25050

Warwick und die 3 Flaschen
Geschichte von André Hodeir. Deutsch von Anna von Cramer-Klett. kinder-detebe 25062

Zeraldas Riese
Deutsch von Anna von Cramer-Klett
kinder-detebe 25057

Der Bauer und der Esel
Geschichte von J. B. Showalter nach J. P. Hebel. Deutsch von Anna von Cramer-Klett
Ein Diogenes Kinderbuch

Der Zauberlehrling
Geschichte von Barbara Hazen nach Johann Wolfgang Goethe. Deutsch von Hans Manz
Ein Diogenes Kinderbuch. Auch als kinder-detebe 25061

Der Hut
Deutsch von Claudia Schmölders
Ein Diogenes Kinderbuch. Auch als kinder-detebe 25016

Das Biest des Monsieur Racine
Deutsch von Hans Manz. Ein Diogenes Kinderbuch. Auch als kinder-detebe 25059 und als kinder-mini-detebe 79053

Papa Schnapp und seine noch-nie-dagewesenen Geschichten
Deutsch von Anna von Cramer-Klett
Ein Diogenes Kinderbuch. Auch als kinder-detebe 25097

Kein Kuß für Mutter
Deutsch von Anna von Cramer-Klett
kinder-detebe 25018

Tomi Ungerer's Märchenbuch
Mit Märchen von Andersen, den Brüdern Grimm, Tomi Ungerer und anderen. Deutsch von Gerd Haffmans, Hans Georg Lenzen und Hans Wollschläger. Diogenes Kinder Klassiker

Kleopatra fährt Schlitten
Geschichte von André Hodeir. Deutsch von Anna von Cramer-Klett. Ein Diogenes Kinderbuch

Alle Abenteuer der Familie Mellops, alle deutsch von Anna von Cramer-Klett.
kinder-detebe 25020–25025

Mr. Mellops baut ein Flugzeug
Familie Mellops findet Öl
Die Mellops auf Schatzsuche
Die Mellops als Höhlenforscher
Familie Mellops feiert Weihnachten
und dazu ein
Mellops-Quartett

Das kleine Kinderliederbuch
Eine Auswahl aus dem *Großen Liederbuch*
kinder-detebe 25029

Das kleine Liederbuch
mini-detebe 79010

Rufus die farbige Fledermaus
Orlando der brave Geier
Adelaide das fliegende Känguruh
Emil der hilfreiche Krake
Alle vier übersetzt von Anna von Cramer-Klett und zusammen mit ›Crictor‹ in ›Tomi Ungerers lustiger Tier-Kassette‹
kinder-detebe 25076–25079

Der flache Franz
Geschichte von Jeff Brown
kinder-detebe 25042

JANOSCH wurde ungefähr 1931 in einem Nest in der Gegend der polnischen Grenze geboren. Von 1944 bis 1953 arbeitete er in einer Schmiede und in Fabriken, lernte das Malen und versuchte dann an der Münchner Akademie zu studieren, bestand aber die Probezeit nicht. Seither arbeitet er als Maler, Schriftsteller, Erfinder von Geschichten und Figuren, Reimesammler und -neuerfinder, Schelmenromancier und Verfasser von Kinderbüchern und lebt heute auf einer Insel zwischen Meer und Sonne. Seine Bücher im Diogenes Verlag:

Das große Buch der Kinderreime
Die schönsten Kinderreime aus alter und uralter Zeit augesammelt sowie etliche ganz
neu dazuerfunden und bunt illustriert.
Diogenes Hausbuch

Das kleine Kinderreimebuch
Die 55 schönsten Kinderreime mit vielen
bunten Bildern von Janosch

Rasputin
Das Riesenbuch vom Vaterbär. Sechsundsechzig Geschichten aus dem Familienleben
eines Bärenvaters. Diogenes Hausbuch

Das große Buch vom Schabernack
333 lustige Bilder von Tomi Ungerer mit
frechen Versen von Janosch. Diogenes Hausbuch

Ich mach dich gesund,
sagte der Bär

Guten Tag, kleines Schweinchen

Riesenparty für den Tiger

Tiger und Bär
im Straßenverkehr

Emil und seine Bande

Schimanzki
Die Kraft der inneren Maus

Das Lumpengesindel

Das tapfere Schneiderlein

Hallo Schiff Pyjamahose

Der Froschkönig

Der alte Mann und der Bär

Die Fiedelgrille und der Maulwurf
Janoschs Lieblingsgeschichte mit neuen, total
verzauberten Bildern

Herr Korbes will
Klein Hühnchen küssen

Rasputin der Lebenskünstler
Bibliothek für Lebenskünstler

Günter Kastenfrosch
oder der wahre Sinn des Lebens. Aufgezeigt
an einem Kasten u. a. m. von Janosch.
Bibliothek für Lebenskünstler

Es war einmal ein Hahn
Keine wahre Geschichte von Janosch

Janoschs Entenbibliothek
4 Bändchen in mini-Box: Alle meine Entlein,
Eia Popeia, Circus Popcorn, Alle meine Enten
von A–Z

Alle meine Enten von A–Z
Mein erstes Adreßbuch

Cholonek oder
Der liebe Gott aus Lehm
Roman

Janoschs Hosentaschenbücher:

Das Haus der Klaus

Der Esel & die Eule

Der kleine Affe

Kleines Schweinchen,
großer König

Die Tigerente und der Frosch

Ich kann schon zählen: 1, 2, 3

ABC für kleine Bären

Ein kleiner Riese

Weitere Werke in Vorbereitung

Reiner Zimnik
im Diogenes Verlag

Bilderbücher für Kinder

Die Geschichte vom Käuzchen
Wie das Käuzchen die dicke Bügelfrau rettet.
Mit Hanne Axmann. kinder-detebe 25009

Der Bär auf dem Motorrad
Ein Bär zeigt, was er kann.
Ein Diogenes Kinderbuch. Auch als kinder-
detebe 25025

Bills Ballonfahrt
Eine langersehnte, listig geplante, dann aber
doch unerwartet erfolgte ungewöhnliche
Luftreise.
Ein Diogenes Kinderbuch. Auch als kinder-
detebe 25028 und als kinder-mini-detebe
79054

Bilderbücher für Erwachsene

Der kleine Millionär
Eine interplanetarische Weihnachts-
geschichte

Die Maschine
Diogenes Kunstbuch

Geschichten vom Lektro
detebe 20671

Neue Geschichten vom Lektro
detebe 20672

Sebastian Gsangl
Meinungen eines gutmütig-grantligen
Bayern mit Bürger-Mut. detebe 20694

Ein Hausbuch für Alle
Das große Reiner Zimnik Geschichtenbuch
Diogenes Hausbuch. Leinen

Dieses Diogenes Hausbuch versammelt die schönsten
Bildergeschichten des großen poetischen Zeichners
und zeichnenden Poeten, seine melancholischen, zärtlichen
und verträumten Märchen für Erwachsene und Kinder.
Die Figuren dieser Bildergeschichten sind alle liebens-
würdige, aufmüpfige, knorrige, naive, traurige oder glückliche
Einzelgänger und Außenseiter in Menschen- oder
Tiergestalt, die dieser Welt eine heilere,
unschuldigere entgegensetzen.

Diogenes Hausbücher

Tomi Ungerer
Das große Liederbuch
Über 200 deutsche Volks- und Kinderlieder
Gesammelt von Anne Diekmann unter Mitarbeit
von Willi Gohl. Mit vielen bunten Bildern
von Tomi Ungerer

Janosch
Das große Buch der
Kinderreime
Die schönsten Kinderreime aus alter
und uralter Zeit aufgesammelt sowie
etliche ganz neu dazuerfunden
und bunt illustriert

Rasputin
Das Riesenbuch vom Vaterbär
Sechsundsechzig Geschichten aus dem
Familienleben eines Bärenvaters

Tomi Ungerer & Janosch
Das große Buch vom
Schabernack
333 lustige Bilder von Tomi Ungerer
mit frechen Versen von Janosch

Tatjana Hauptmann
Das große Märchenbuch
Die schönsten Märchen aus Europa
Gesammelt von Christian Strich. Mit über
600 Bildern von Tatjana Hauptmann

Bernhard Lassahn
Das große Buch der kleinen Tiere
Elf Gute-Nacht-Geschichten mit
34 Bildern von Tomi Ungerer

Reiner Zimnik
Das große Reiner Zimnik
Geschichtenbuch
Erweiterte Neuausgabe